D0490808

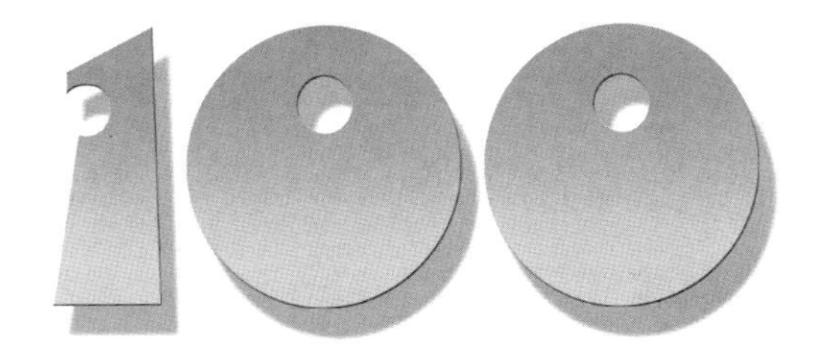

infos à connaître

LES ARMURES ET LES ARMES

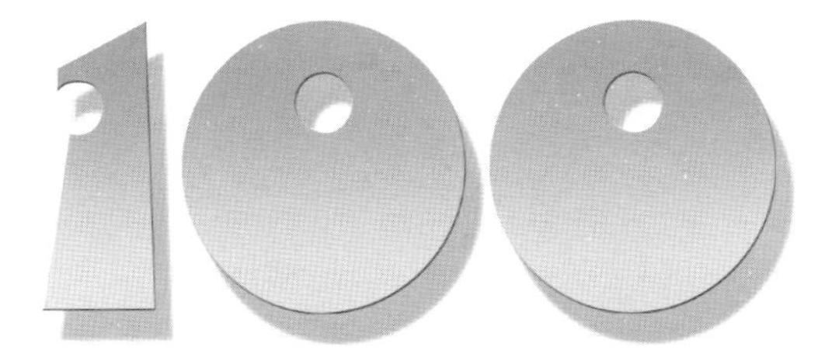

infos à connaître

LES ARMURES ET LES ARMES

Rupert Matthews

Piccolia

Techniparc
Z.A.E. de la Noue Rousseau
5, rue d'Alembert
91240 Saint-Michel-sur-Orge
Dépôt légal : 3e trimestre 2007
Loi n°49-956 du 16 juillet 1949
sur les publications destinées à la jeunesse.
Imprimé en Chine.

Remerciements aux artistes qui ont contribué
à l'élaboration de ce titre :
Peter Dennis
Mike Foster
Alan Hancocks
Richard Hook
Angus McBride
Andrea Morandi
Alex Pang
Carlo Pauletto
Mike Saunders
Mike White
Page 43 Ninja Museum/Uemo
Castrol/Corel/digitalSTOCK/digitalvision/
John Foxx/PhotoAlto/PhotoDisc/PhotoEssentials/
PhotoPro/Stockbyte

Sommaire

Les armes de guerre

1 Pendant des milliers d'années, les peuples ont utilisé armes et armures pour chasser, se défendre et attaquer d'autres populations. Les armes légères et les armures étaient individuelles, c'est-à-dire que chaque guerrier avait les siennes. Les premières armures étaient en bois ou en cuir et les premières armes étaient élaborées à partir de bois ou de pierre.

▼ Lors de la bataille de Lechfeld en 955, les Germains ont vaincu l'armée hongroise pourtant bien plus importante en nombre. Les Germains ont gagné la bataille car ils portaient des cottes de mailles et utilisaient des armes nouvelles.

Les premières armes

▲ Cette hache est taillée dans une seule pierre. Elle était prise directement en main et l'on coupait la viande avec.

2 Les premières armes étaient en pierre. Les premiers hommes vivaient il y a des centaines de milliers d'années. Les archéologues (chercheurs qui étudient ce qui subsiste de nos ancêtres) ont retrouvé des armes en pierre tranchantes, taillées par ces peuples anciens.

3 Les premières armes servaient à chasser et à se battre. En étudiant des os de bovins de daims et de mammouths, les archéologues ont découvert que ces animaux étaient chassés et tués par nos ancêtres à l'aide d'armes en pierre.

► Il y a environ 75 000 ans, les lances étaient faites d'une pointe en pierre fixée sur un manche en bois à l'aide de lanières en cuir.

4 Les premiers guerriers ne portaient pas d'armure. On pense que les tribus primitives se battaient les unes contre les autres pour prendre le contrôle des meilleures terres de chasse ou des sources d'eau. Les hommes n'utilisaient pas d'armure et esquivaient les coups de l'ennemi pour ne pas être blessés.

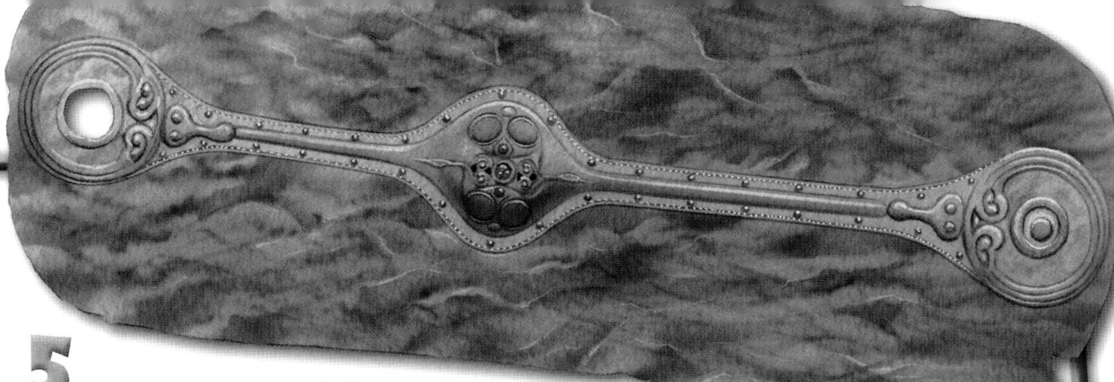

5 Les boucliers ont été les premières formes de protection. Une lance pouvait être stoppée dans sa course par un morceau de bois placé sur sa trajectoire. Rapidement, les hommes ont commencé à fabriquer des boucliers à partir de bouts de bois plats dotés d'une poignée à l'arrière. Au fur à mesure des années, des boucliers ont pris de nombreuses formes différentes et ont été crées à partir de matériaux divers comme le bois, le cuir et le métal.

▲ En 300 av. J.-C., les Celtes fabriquaient de beaux boucliers en bronze décorés d'émaux de couleur. Certains, comme celui-ci trouvé à Londres, étaient sans doute portés lors des cérémonies.

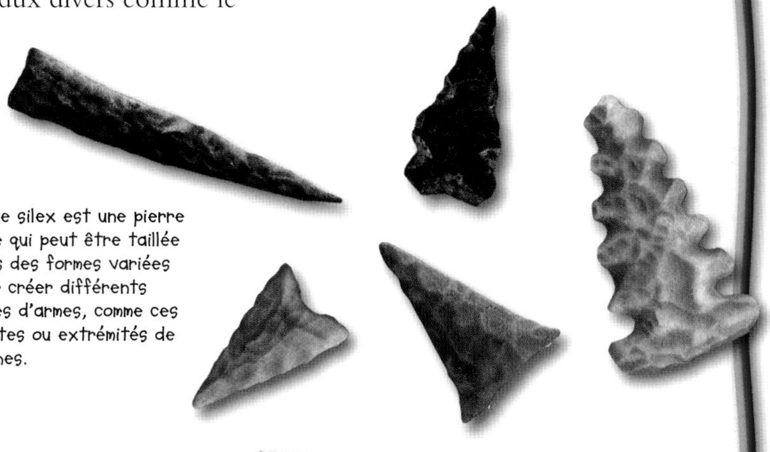

▶ Le silex est une pierre dure qui peut être taillée dans des formes variées pour créer différents types d'armes, comme ces pointes ou extrémités de flèches.

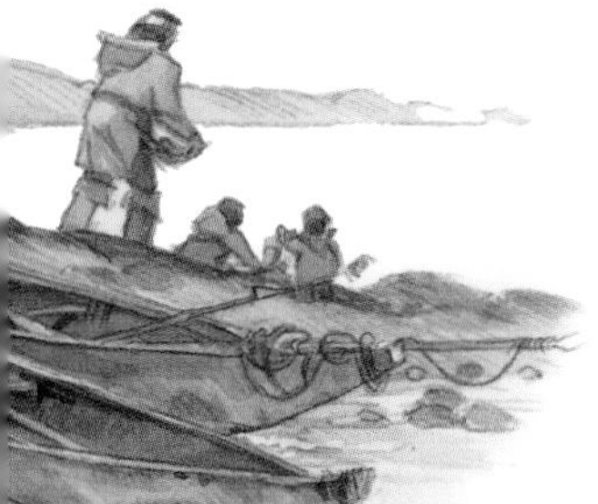

6 Les lances étaient les premières armes efficaces. À l'origine, elles étaient souvent constituées d'une pointe en pierre montée au bout d'un pieu de bois.
Un homme pouvait, grâce à une lance, atteindre un ennemi tout en restant hors de portée des armes de main de son opposant. Les premières lances connues remontent à 400 000 ans et ont été découvertes en Allemagne.

INCROYABLE !

Les plus anciennes traces de guerre proviennent de Krajina en Croatie. Des os humains de plus de 120 000 ans y ont été retrouvés et présentent des marques créées par des pointes de lance en pierre.

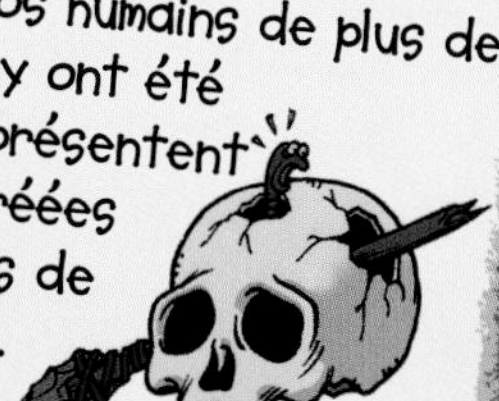

Les civilisations anciennes

▲ Le pharaon égyptien Toutankhamon est représenté monté sur un char, tirant des flèches sur les ennemis de l'Égypte.

7 Les premiers Égyptiens utilisaient, semble-t-il, leurs cheveux comme armure. Certains d'entre eux se laissaient pousser les cheveux puis en faisaient une tresse épaisse qu'ils enroulaient autour de leur tête avant de partir au combat. On pense qu'il s'agissait d'une sorte de protection pour la tête.

8 Certains soldats égyptiens avaient des boucliers aussi grands qu'eux. Vers 1800 av. J.-C., les soldats utilisaient des boucliers à taille humaine. Ils se cachaient derrière lorsque l'ennemi attaquait puis sortaient de leur abri pour faire usage de leur lance.

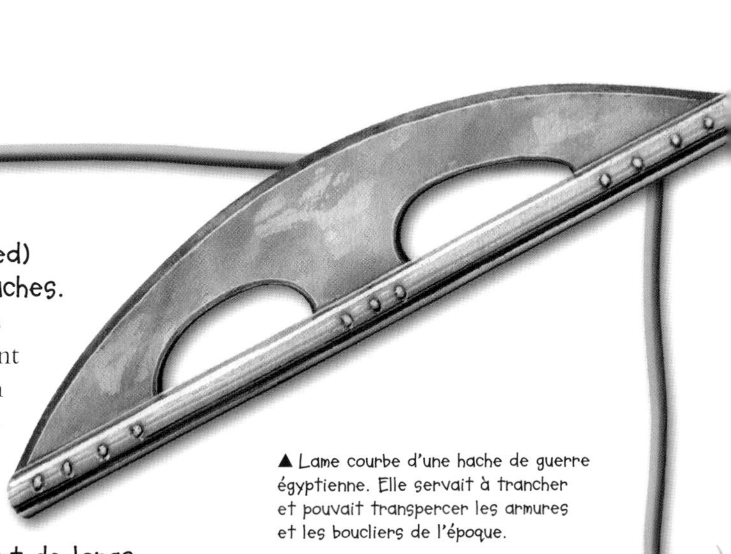

9 **L'infanterie (soldats à pied) égyptienne était équipée de haches.** Les soldats qui servaient de gardes du corps au pharaon (roi) portaient des haches spéciales. Ces armes en bronze étaient lourdes et les coups portés étaient très puissants.

▲ Lame courbe d'une hache de guerre égyptienne. Elle servait à trancher et pouvait transpercer les armures et les boucliers de l'époque.

10 **Les Assyriens portaient de longs manteaux de mailles.** Vers 900 av. J.-C., certains soldats de l'armée assyrienne étaient revêtus d'armures entièrement composées de mailles : il s'agissait d'une série d'anneaux métalliques entremêlés qui pouvaient amortir les coups des épées ou des lances.

11 **Les armures des Babyloniens étaient vivement colorées.** Vers 1000 av. J.-C., la ville antique de Babylone, en Mésopotamie (région de l'Irak actuel), était célèbre pour sa richesse. Les soldats portaient des armures qu'ils peignaient de couleurs vives pour paraître plus impressionnants pendant la bataille.

▶ Une armée assyrienne assaille une cité fortifiée en Mésopotamie à l'aide de tours de siège et d'arcs.

Hoplites et phalanges

12 Les hoplites étaient des fantassins en armure. À partir d'environ 700 av. J.-C., environ, les soldats à pied (infanterie) grecs étaient équipés d'un bouclier, d'un casque, d'une lance et d'une épée. Ils étaient appelés hoplites ce qui veut dire en grec « armé ». Chacun d'eux utilisait ses propres armes et armure.

13 Un Grec qui perdait son bouclier était considéré comme un lâche. Le bouclier d'un hoplite mesurait plus d'un mètre de large et était fait de bois et de bronze. Il était très lourd et si un soldat cherchait à fuir devant l'ennemi, il lui fallait l'abandonner. Ainsi, les hommes qui perdaient leur bouclier au combat étaient souvent accusés de lâcheté.

14 Les hoplites combattaient en formations appelées phalanges. Lorsqu'ils partaient au combat, les hoplites se tenaient épaule contre épaule afin que leurs boucliers se chevauchent. Ils pointaient leur lance vers l'avant au-dessus des boucliers. Une phalange était composée d'au moins six rangs de hoplites disposés les uns derrière les autres.

▶ La victoire des fantassins grecs au combat dépendait de leur formation en rangs serrés afin que les soldats ennemis ne puissent pas pénétrer la ligne de boucliers.

INCROYABLE !

Les hoplites de Sparte étaient si forts qu'ils estimaient pouvoir vaincre n'importe quelle armée, même en se battant à un contre cinq !

15 Les lances grecques disposaient d'une « pique à lézard ». L'extrémité inférieure des lances des hoplites avait une pointe en bronze nommée sauroter (pique à lézard). Elle servait à planter la lance dans le sol.

16 Les meilleurs casques étaient faits à partir d'un morceau épais de métal. Les habiles ferronniers de la ville grecque de Corinthe inventèrent une façon de fabriquer un casque solide : ils travaillaient le bronze pour en faire un casque d'un seul tenant. Il était bien plus résistant qu'un casque fait de plusieurs pièces. Ce casque portait le nom de « corinthien ».

Les légions romaines

▲ Une légion romaine quitte une forteresse frontalière sous le contrôle du légat qui commande la légion.

17 Les légions étaient composées de fantassins en armure. La principale formation militaire de l'armée romaine était la légion, un corps de troupes d'environ 6 000 hommes. La plupart étaient équipés d'une armure, d'un casque, d'un grand bouclier rectangulaire, d'une épée et d'une lance.

▶ L'armure d'un légionnaire était composée de plusieurs pièces qui pouvaient être remplacées individuellement lorsqu'elles étaient endommagées.

18 L'armure romaine était faite de bandes métalliques. À l'apogée de l'Empire romain, entre 50 et 250 apr. J.-C., les légionnaires portaient une armure appelée lorica segmentata. Elle était constituée de lames de métal courbes qui s'adaptaient au corps et étaient assemblées par des lanières en cuir et des boucles.

► Dans les combats au corps à corps, les soldats romains se servaient du glaive, une épée courte à deux tranchants, pour poignarder l'ennemi.

21 Les épées romaines venaient des Espagnols.

Les épées romaines venaient des Espagnols. Après 200 av. J.-C., les soldats romains disposaient d'épées à lames droites et à pointes acérées. Elles étaient la copie conformes de celles utilisées par les soldats espagnols quand ils battirent l'armée romaine.

► Soldat auxiliaire portant une courte tunique de mailles, un casque et un bouclier ovale. Ses armes étaient le glaive et le javelot.

19 Les soldats auxiliaires romains étaient revêtus d'une armure meilleur marché.

Chaque légion romaine étaient composée de soldats appelés auxiliaires qui venaient de régions autres que la cité de Rome. Ces hommes devaient venir faire la guerre avec leur propre armure. Ils portaient souvent des tuniques recouvertes d'une armure en mailles ou en écailles, c'est-à-dire faite de nombreuses petites plaques métalliques.

20 Les soldats romains formaient une « tortue » avec les boucliers.

Une des tactiques des Romains était appelée « tortue » : les fantassins se disposaient en rangs courts et serrés en positionnant les boucliers sur les quatre côtés de la formation et au-dessus de leur tête. Ainsi, ils pouvaient attaquer tout en étant protégés des lances et des flèches ennemies.

La chute de Rome

22 Vers 350 apr. J.-C., les fantassins romains abandonnèrent leur armure. Les légionnaires romains préféraient attaquer en se déplaçant rapidement sur le champ de bataille. Ils cessèrent donc de porter leur lourde armure et se protégèrent grâce à de grands boucliers et des casques en métal.

23 Plus tard, les armées romaines firent appel à des archers mercenaires. Les commandants romains se sont rendu compte de l'importance des archers pour attaquer les tribus barbares. Peu de Romains étaient formés au tir à l'arc. Il fallut donc recruter des soldats (mercenaires) d'autres pays pour servir d'archers dans l'armée romaine.

24 Les boucliers romains étaient vivement colorés. Chaque unité de l'armée romaine avait son propre emblème représenté sur les boucliers. Certains étaient ornés de dessins d'aigles, de scorpions ou de dauphins tandis que d'autres étaient recouverts de spirales ou de boulons étincelants.

◀ Les boucliers romains étaient décorés de couleurs vives. Chaque unité de l'armée avait son bouclier spécifique.

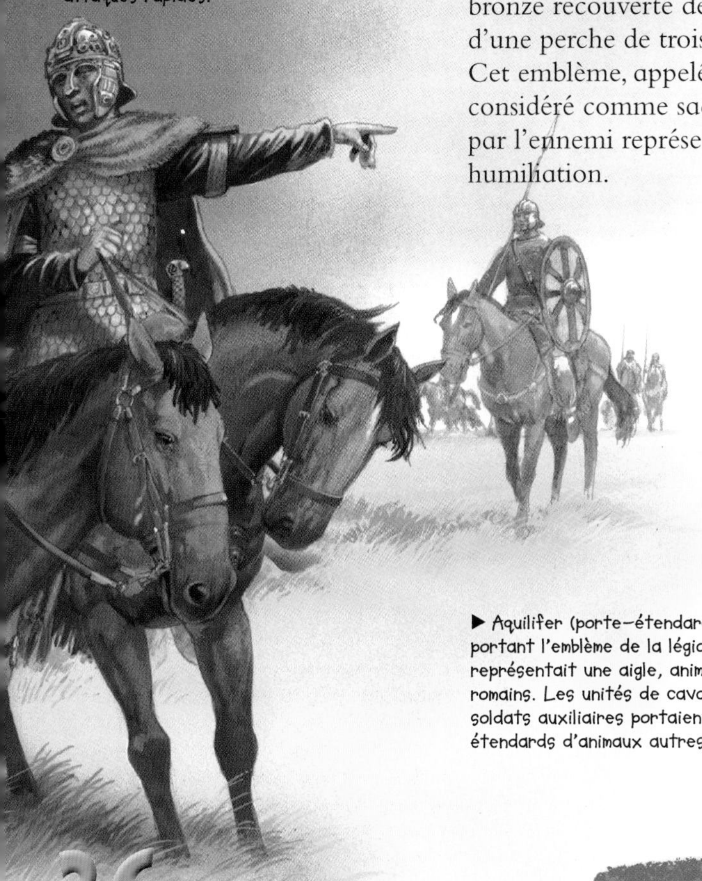

▼ Autour de 350 apr. J.-C., les armées romaines avaient de nombreux cavaliers qui intervenaient dans des attaques rapides.

25 **L'aigle était un symbole sacré.** Chaque légion romaine possédait une aigle en bronze recouverte de feuilles d'or montée en haut d'une perche de trois mètres de long. Cet emblème, appelé aquila, était considéré comme sacré et sa capture par l'ennemi représentait une grande humiliation.

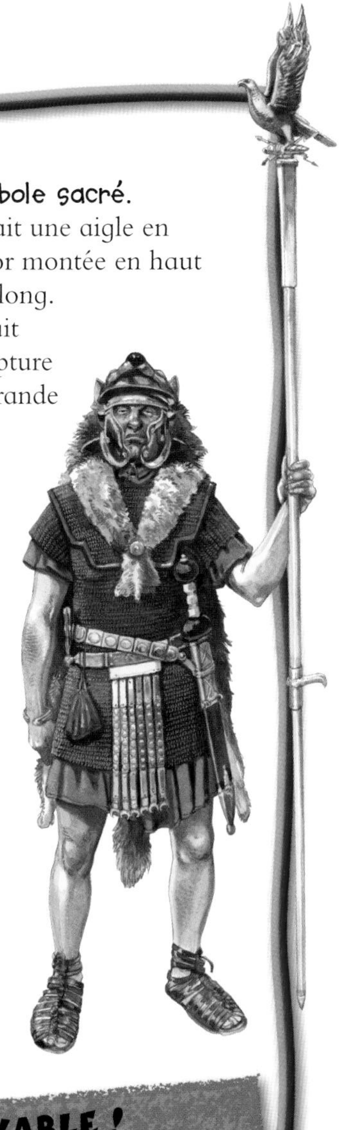

▶ Aquilifer (porte-étendard) romain portant l'emblème de la légion. Il représentait une aigle, animal racé des romains. Les unités de cavalerie et de soldats auxiliaires portaient des étendards d'animaux autres que l'aigle.

26 **La cavalerie romaine avait des boucliers énormes.** Les scutati étaient des groupes de soldats romains montés à cheval. Ces hommes portaient des cottes de mailles et des boucliers immenses derrière lesquels ils se protégeaient avec leur monture. Ils galopaient vers l'armée ennemie, lançaient des javelots puis repartaient avant que leurs adversaires n'aient le temps de riposter.

INCROYABLE !

Alaric le Goth et ses hommes pillèrent Rome en 410 apr. J.-C. Alaric était célèbre pour son épée dont la poignée était en or massif !

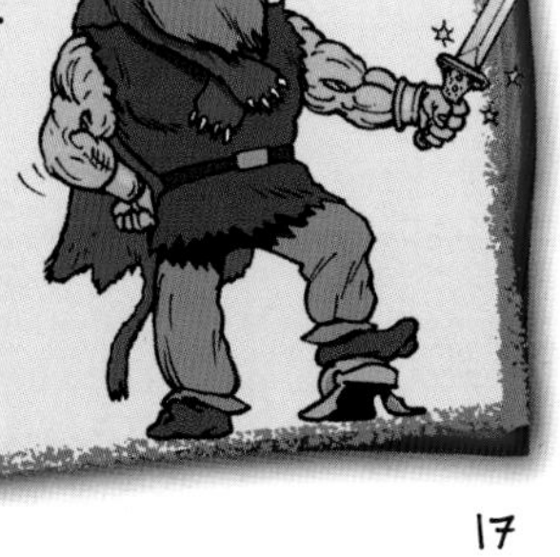

Les gladiateurs

Samnite

27 Les gladiateurs luttaient dans l'arène. De nombreuses cités romaines possédaient un bâtiment, appelé arène, qui était composé d'une zone ovale centrale recouverte de sable et entourée de gradins. L'arène accueillait les combats entre gladiateurs, des hommes entraînés à se battre jusqu'à la mort pour divertir les spectateurs. Ils utilisaient des épées, des lances, des couteaux et d'autres armes au cours des combats.

28 Les casques de gladiateurs étaient imposants et décoratifs. Les combats faisaient partie d'un spectacle impressionnant. C'est pourquoi le casque porté par les combattants était orné de plumes brillantes et de jolies décorations. On pense même que certains étaient recouverts de feuilles d'argent ou d'or.

Thrace

▲ Les gladiateurs samnites se battaient avec un grand bouclier et une courte épée alors que les Thraces étaient équipés d'un petit bouclier et d'une épée recourbée.

◀ La plupart des casques de gladiateurs possédaient une grille métallique qui recouvrait et protégeait le visage.

29 Le gladiateur n'était pas beaucoup protégé. Le but de ces combats était de mettre en scène l'habileté de ces hommes à manier les armes et la défaite était punie de mort. Lorsqu'un gladiateur était blessé aux bras ou aux jambes, il n'était généralement pas tué mais cela mettait fin au combat. Certains gladiateurs portaient des protections aux jambes et aux bras pour que le spectacle puisse durer le plus longtemps possible.

▶ Casque porté par un gladiateur andabate. Il n'y avait aucun trou pour les yeux : le gladiateur se battait donc sans rien voir.

▲ Le rétiaire était un gladiateur qui ressemblait à un pêcheur : il se battait avec un filet et un trident.

30 Un casque en particulier n'avait pas d'ouverture pour les yeux. Parfois, les organisateurs de combats obligeaient les gladiateurs à porter des casques appelés andabatae qui recouvraient les yeux pour contraindre les combattants à se fier uniquement à leur ouïe.

QUIZ

1. Comment s'appelait le gladiateur qui se battait sans voir ?
2. Quels types de gladiateurs portaient une épée recourbée ?
3. Quel était le nom du bâtiment où se déroulaient les combats de gladiateurs

1. L'andabate.
2. Les Thraces.
3. L'arène.

Les barbares

31 Les Celtes défilaient sur des chars pour intimider leurs ennemis.

Les batailles entre tribus celtes rivales commençaient souvent par un défilé de guerriers célèbres montés sur des chars et exécutant des démonstrations d'habileté.

32 Les Huns étaient légèrement équipés.

Vers 370 apr. J.-C., les Huns venus d'Asie arrivèrent en masse en Europe. Ils combattaient à cheval avec des arcs et des lances mais ne portaient pas d'armure. Ils se déplaçaient rapidement et étaient sans pitié.

33 La faux des Daces était une arme redoutable.

Les Daces vivaient dans l'actuelle Roumanie entre 400 et 600 apr. J.-C. Certains guerriers daces portaient une faux, sorte de longue épée courbe à large lame. Cette arme était si tranchante et si lourde qu'elle pouvait couper une personne en deux.

▶ La vitesse et la précision des archers huns à cheval terrifiaient les Romains.

34 Les Francs étaient ainsi nommés d'après leur arme favorite.

Une tribu de Germains qui vivaient entre 300 et 600 ap. J.-C. était célèbre pour ses petites haches de guerre au manche court, appelées francisques. Les guerriers pouvaient la lancer de loin sur l'ennemi. Les hommes qui s'en servaient ont été appelés Francs et rapidement toute la tribu a pris ce nom. Ils ont plus tard donné leur nom à la France.

◀ Guerrier dace maniant une faux. Le peuple des Daces vivait hors de l'Empire de Rome et affrontait souvent les Romains.

QUIZ

1. Les Huns portaient-ils une armure ?
2. Qu'était la francisque ?
3. Quels peuples étaient appelés les barbares par les Romains ?

1. Non.
2. Une petite hache de guerre qui pouvait être lancée.
3. Les peuples non civilisés qui vivaient hors de l'Empire romain.

▼ Casque appartenant à un roi anglo-saxon qui gouvernait la région d'East Anglia en Angleterre vers 625 apr. J.-C. Il était fait de fer et orné d'or et d'argent.

35 **De nombreux barbares portaient des armures décorées d'or, d'argent et de pierres précieuses.** Ils aimaient montrer leurs richesses, notamment pour indiquer leur statut au sein de leur tribu. Les Romains appelaient « barbares » tous les peuples, vivant hors de l'Empire romain.

La dynastie Qin

36 L'armure des soldats chinois était composée de dizaines de plaques métalliques. Ces plaques de huit centimètres sur six étaient cousues sur un vêtement en cuir ou fixées les unes aux autres par des lanières de cuir. En 221 av. J.-C., les différents états chinois s'unirent pour former un empire puissant et riche.

37 Les chemises en soie renforçaient la protection contre les flèches. Beaucoup de soldats chinois portaient des chemises en soie sous leur armure. Lorsqu'une flèche transperçait l'armure, elle entraînait la chemise dans la blessure sans la déchirer. Ainsi en tirant doucement sur le vêtement, la flèche était enlevée sans aggraver la blessure.

▼ Une patrouille de soldats chinois surveille la Grande Muraille vers 200 apr. J.-C.

38 Les arbalètes furent d'abord utilisées en Chine. Elles étaient plus puissantes que les arcs des tribus nomades des steppes du Nord. Les troupes chinoises s'en servaient donc pour contrôler la frontière nord. Les arbalètes sont composées d'un arc court et puissant monté sur un manche en bois et actionné par une détente.

39 L'infanterie utilisait des lances. Les fantassins chinois se battaient généralement avec des lances de deux mètres de long. La pointe de la lance était souvent remplacée par une tête de hache, une lame tranchante ou un pic partant sur le côté. Ces armes permettaient à l'infanterie d'attaquer leurs ennemis de plusieurs façons pour contourner les boucliers.

40 La cavalerie chinoise était lourdement armée. Lorsqu'elle patrouillait dans les régions frontalières, la cavalerie se déployait en larges formations et pouvait vaincre les tribus qui semaient le trouble. Les cavaliers avaient des casques, des armures en fer, des boucliers en bois et des longues lances à pointe en fer.

QUIZ

1. En quelle année la Chine a-t-elle été unifiée pour la première fois ?
2. Que portaient les soldats chinois sous leur armure pour mieux se protéger ?
3. Les tribus nomades vivaient-elles au nord ou au sud de la Chine ?

1. En 221 av. J.-C.
2. Des chemises en soie.
3. Au nord de la Chine.

Le haut Moyen Âge

41 En 476 apr. J.-C., la chute de Rome a laissé place au haut Moyen Âge. Les peuples barbares envahirent l'Empire romain d'Occident et les cultures et traditions anciennes disparurent. L'Empire romain d'Orient perdit des terres et de sa puissance au profit des barbares mais il survécut pour devenir l'Empire byzantin. D'ailleurs, les Byzantins continuèrent à utiliser les armes et armures romaines.

▲ Des guerriers anglais patrouillent le long du grand mur construit par le roi Offa de Mercie pour délimiter les frontières avec le Pays de Galles en 784.

42 La cavalerie anglaise était légèrement armée. Dès 450, la Grande-Bretagne fut envahie et occupée par des tribus germaniques. En 700, quasiment toute l'île était en leur pouvoir. Seuls les riches anglais portaient une armure. Beaucoup combattaient armés d'une lance et d'une épée et portaient un bouclier rond et un casque en guise de protection.

43 Les berserks portaient des peaux d'animaux en guise d'armures. Certains guerriers vikings étaient surnommés les berserks (signifiant « peaux d'ours ») car ils avaient l'habitude de se vêtir de fourrures d'ours ou de loups pour combattre.

◀ Un viking berserk attaque revêtu d'une peau d'ours. Ces guerriers étaient cruels lors des combats et semblaient ignorer le danger.

QUIZ

1. Quels guerriers portaient des peaux de bêtes ?
2. Qui remportèrent la bataille de Lechfeld ?
3. Qui construisit un mur entre l'Angleterre et le Pays de Galles ?

1. Les Berserks.
2. Les Germains.
3. Le roi Offa.

44 La hache de guerre était une arme redoutable. Beaucoup de peuples scandinaves utilisaient des haches de guerre dotées d'un manche mesurant jusqu'à deux mètres de long et d'une lame de plus de 30 centimètres de large. Il fallait les manier à deux mains. Un homme entraîné pouvait tuer un cheval et son cavalier d'un seul coup avec une telle hache !

◀ Un groupe de Vikings, brandissant des haches de guerre, attaque une troupe anglaise.

45 La cavalerie lourde menait la bataille. En 955, une petite armée de chevaliers germaniques défit la cavalerie hongroise, pourtant plus nombreuse, lors de la bataille de Lechfeld en Allemagne. Les chevaliers (hommes à cheval portant armure, lance et épée) étaient considérés comme les soldats les plus efficaces.

La chevalerie

46 À l'origine, les chevaliers se protégeaient de cottes de mailles. Vers l'an mil, en Europe, les guerriers combattaient en cottes de mailles autrement appelées hauberts. C'était un vêtement souple qui pouvait stopper efficacement un coup d'épée. Mais ils coûtaient chers et seuls les plus riches en portaient.

1. Anneau en fer

2. Trous percés aux extrémités

3. Extrémités assemblées par un rivet

▲ Le haubert était un assemblage de centaines d'anneaux en fer. Ces anneaux pouvaient être reliés de différentes façons, à l'image d'un pull tricoté.

47 Les boucliers étaient décorés pour identifier leur propriétaire. À partir de 1150, les chevaliers portaient des casques (heaumes) couvrant le visage pour plus de protection. À cette même époque, ils ont commencé à peindre des symboles héraldiques (blasons) sur leur bouclier pour pouvoir se reconnaître.

48 Les premiers chevaliers préféraient parfois une armure en cuir. La cotte de mailles était efficace mais lourde et chère. Certains chevaliers choisissaient donc une armure en cuir bouilli et durci. Celle-ci, plus légère et plus facile à porter, offrait une bonne protection contre les coups.

◄ Chevalier vers 1100. Il porte une tunique et un pantalon en mailles ainsi qu'un casque de fer. Son bouclier est en bois.

49 L'armure de fer offrait une meilleure protection que le haubert. Vers 1300, de nouveaux types de flèches et d'épées furent conçus pour percer les cottes de mailles. Cela encouragea le développement d'armures rigides, faites de plaques en fer travaillées qui s'ajustaient au corps. Les flèches et les épées ne la transperçaient pas facilement.

50 La masse d'armes pouvait réduire une armure en pièces. L'arme de choc la plus efficace fut créée pour détruire les armures rigides : une grosse boule de métal était accrochée au bout d'un long manche. Un coup de masse défonçait une armure et broyait les os du chevalier qui la portait.

L'armure autour de l'estomac et de l'aine devait être flexible pour permettre au chevalier de se pencher et de tourner.

La partie la plus complexe était le gantelet qui couvrait la main. Il pouvait comporter trente pièces de métal.

Les jambes et les pieds étaient protégés par une armure qui recouvrait entièrement les membres.

▶ Armure de fer fabriquée en Europe au début du XIVe siècle.

QUIZ

1. Pourquoi les chevaliers peignaient-ils des blasons sur leur bouclier ?
2. Comment était traité le cuir pour le rendre rigide ?
3. Quelle était l'arme de choc la plus efficace ?

1. Afin de se reconnaître dans la bataille. 2. Il était bouilli. 3. La masse d'armes.

Archers et paysans

51 L'infanterie était généralement mal armée. Il y a 1 000 ans environ, les paysans et artisans devaient protéger leur maison contre les armées ennemies. Ces hommes ne pouvaient pas acheter d'armure et se défendaient à l'aide de lances, de grands couteaux ou de haches. Ils gardaient aussi les châteaux.

▼ Fantassin armé d'une lance en 1350. Il avait aussi une épée mais ne possédait pas d'armure.

◄ Archer anglais vers 1400. Il portait un casque en métal et une armure matelassée.

52

L'arc anglais était une arme meurtrière. Dès 1320, les Anglais ont intégré dans leurs armées des milliers d'archers. Ces derniers étaient entraînés pour tirer jusqu'à huit flèches par minute, créant ainsi une pluie mortelle de flèches qui pouvait décimer les forces ennemies à distance.

53 **Certaines armes étaient conçues à partir d'outils de la ferme.** Beaucoup de soldats utilisaient des armes qui étaient en fait des adaptations d'outils de ferme. La hache d'armes, créée à partir de la serpe, servait à désarçonner un chevalier puis à percer son armure de fer.

▲ Lames de hache d'armes anglaise (à gauche) et de pique (goedendag) hollandaise (à droite). Ces deux armes étaient utilisées par les fantassins.

54 **Les arbalètes existaient dans de nombreux pays.** Les soldats d'Italie, des Pays-Bas (Belgique et Hollande actuelles) et de certaines régions d'Europe préféraient les arbalètes aux arcs. Son maniement était simple et ses tirs puissants mais pas aussi rapides que ceux de l'arc.

55 **Certains soldats à pied portaient une armure.** Les fantassins envoyés au combat par les riches cités étaient souvent pourvus d'une armure. Ils se disposaient généralement en formations puissantes, en pointant leurs lances vers l'avant pour plus d'efficacité.

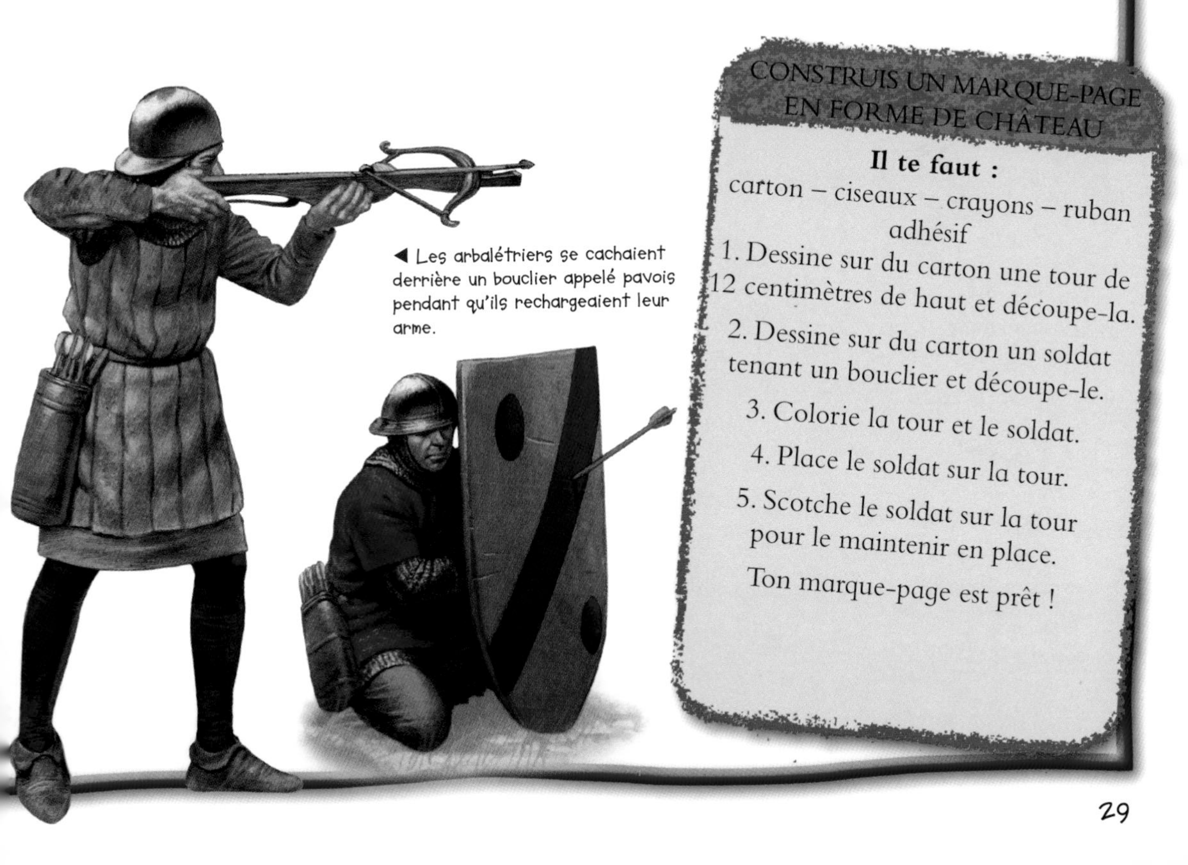

◀ Les arbalétriers se cachaient derrière un bouclier appelé pavois pendant qu'ils rechargeaient leur arme.

CONSTRUIS UN MARQUE-PAGE EN FORME DE CHÂTEAU

Il te faut :
carton – ciseaux – crayons – ruban adhésif

1. Dessine sur du carton une tour de 12 centimètres de haut et découpe-la.
2. Dessine sur du carton un soldat tenant un bouclier et découpe-le.
3. Colorie la tour et le soldat.
4. Place le soldat sur la tour.
5. Scotche le soldat sur la tour pour le maintenir en place.

Ton marque-page est prêt !

Les derniers chevaliers

56 Les chevaliers en armure étaient les soldats les plus importants. Ils possédaient les meilleures armes et armures. Comme ils étaient les plus expérimentés, ils commandaient souvent les troupes.

57 Les chevaliers combattaient parfois à pied. Après 1300, les chevaliers anglais se battaient à terre. Cela leur permettait de maintenir une position plus sûre et de coopérer efficacement avec les autres soldats.

▶ Le bassinet avait une visière qui pouvait être relevée pour permettre au chevalier de voir et de respirer.

INCROYABLE !

En 1415, lors de la bataille d'Azincourt (France), les Anglais tuèrent environ 6 000 Français et ne perdirent que 200 hommes !

58 Des armures en métal et en cuir furent créées pour protéger les montures. Vers 1300, les chevaliers commencèrent à recouvrir leurs chevaux de plusieurs sortes d'armure. Sans elles, ils pouvaient être tués ou blessés par les flèches ou les lances ennemies, ce qui mettait leur cavalier en péril. On plaçait en première ligne les chevaliers dont la monture était couverte d'une armure.

▶ L'armure des chevaux était ajustée au niveau de la tête et de l'encolure, mais elle était plus lâche au niveau des jambes.

59 Le fléau d'armes était difficile à manier. Cette arme était composée d'une grosse boule en métal recouverte de piques et rattachée par une chaîne à un manche en bois. Elle infligeait des blessures terribles mais revenait parfois en arrière de manière imprévue : seuls les hommes qui s'entraînaient plusieurs heures par jour savaient l'utiliser correctement.

◀ Un chevalier brandit un fléau dans un combat au sol.

60 Chaque homme avait sa place dans la bataille. Avant chaque combat, le commandant positionnait les hommes pour que les compétences de chacun fussent utilisées au mieux. Les hommes avec la meilleure armure étaient placés à l'endroit où l'ennemi était censé attaquer tandis que les archers étaient disposés sur les côtés pour couvrir tout le champ de bataille. Les hommes à armure légère restaient derrière, prêts à chasser l'ennemi qui battait en retraite.

La guerre dans le désert

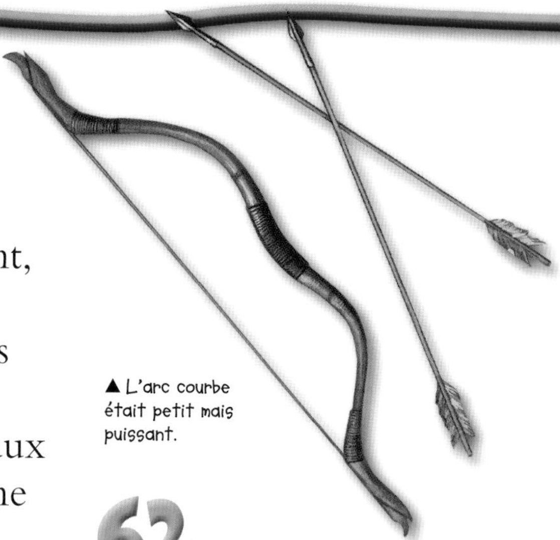

61 Les arcs étaient faits de divers matériaux. Dans les zones désertiques du Moyen-Orient, les soldats avaient des arcs fabriqués à partir de couches de cornes, d'os et de tendons d'animaux, collées les unes aux autres puis modelées en forme d'arc. Ces armes composites tiraient des flèches avec bien plus de force que les arcs anglais.

▲ L'arc courbe était petit mais puissant.

62 L'armure des Mongols était légère. Les Mongols, peuple d'Asie centrale, étaient menés par Gengis Khan (1162-1227). Leur armure était légère car le fer était rare dans leur région. Pour compenser ce manque de protection, les Mongols développèrent des tactiques d'attaques rapides à cheval.

63 Les épées courbes étaient connues sous le nom de cimeterre. Vers 1100, les armuriers de la cité de Damas, en Syrie, inventèrent une nouvelle façon de fabriquer les épées. Il fallait replier l'acier chauffé à blanc plusieurs fois sur lui-même. Ce nouveau type d'acier servait à faire des épées recourbées, légères, et très tranchantes appelées cimeterres.

64 L'armure turque était faite d'une cotte de mailles sur laquelle étaient fixées des plaques de métal plat qui se chevauchaient. Ces plaques de six centimètres sur deux étaient fixés de façon à laisser passer l'air tout en arrêtant les coups d'épée. L'armure était légère, confortable et efficace mais également chère.

▲ Sarrasin revêtu d'une armure turque et brandissant un cimeterre. Les Sarrasins portaient des tuniques fluides et des turbans pour se protéger de la chaleur du désert.

◀ L'armée mongole attaque des hommes de la ville de Kiev en Ukraine. Bien que l'armement mongol fût prévu pour les combats dans les prairies et les déserts, il se révélait aussi très efficace dans les forêts froides.

65 Il fallait des armures légères à cause de la chaleur du désert. L'armure de fer utilisée en Europe n'existait pas dans les déserts du Moyen-Orient. Les plaques de métal empêchaient l'air de circuler autour du corps et étaient très inconfortables à porter. C'est pourquoi les guerriers du désert du XIIIe au XVe siècle portaient des tuniques larges et des armures légères.

Les armes indiennes

▼ Soldat indien sans armure, portant un bouclier et une épée à gantelet.

▶ Les boucliers indiens étaient souvent richement décorés pour les rendre plus spectaculaires.

66 L'Inde avait une tradition unique de fabrication des armes. Entre 1650 et 1800, les vastes terres au sud de l'Himalaya (Inde, Pakistan et Bangladesh actuels) étaient divisées en nombreux petits états. Chacun possédait son armée et des armes impressionnantes.

67 Le khanda était une épée à lame droite et longue. Ces armes avaient des lames lourdes à double tranchant et des poignées qui permettaient de la manier à deux mains. Les guerriers glissaient leur long khanda dans leur ceinture en le faisant passer par-dessus les épaules.

68 Les soldats indiens utilisaient une épée à gantelet. C'était un gant en fer (gantelet) qui allait jusqu'au coude et se prolongeait par une lame. Grâce à sa meilleure prise, ce gantelet offrait aux cavaliers plus de puissance pour attaquer des fantassins, par exemple, mais il était moins efficace pour couper.

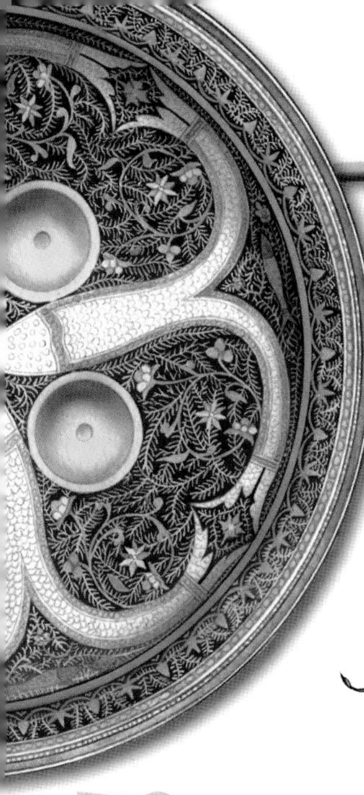

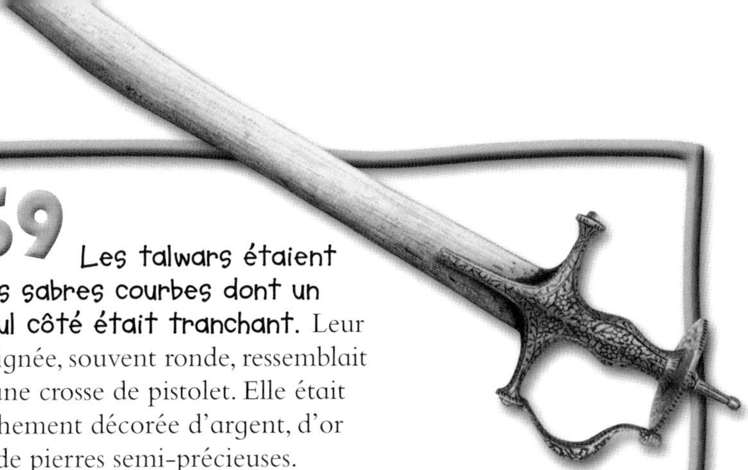

69 Les talwars étaient des sabres courbes dont un seul côté était tranchant.

Leur poignée, souvent ronde, ressemblait à une crosse de pistolet. Elle était richement décorée d'argent, d'or et de pierres semi-précieuses.

▲ Le talwar a été inventé autour de l'an 1000 et a été utilisé pendant plus de 900 ans.

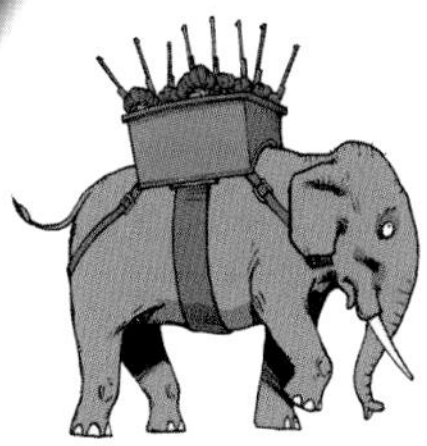

70 Des éléphants participaient aux batailles.

Une petite nacelle (ou howdah) était arrimée au dos de l'éléphant. Les hommes armés d'arcs et plus tard de fusils s'asseyaient sur le howdah et visaient l'ennemi par-dessus la tête de l'éléphant.

▶ Les éléphants de guerre étaient souvent protégés par une armure et le howdah sur lequel s'asseyaient les soldats était couvert de fer.

La guerre dans les îles

71 Les Polynésiens se battaient sans armure ni bouclier. Les îles de l'océan Pacifique abritaient des peuples polynésiens. Avant leur contact avec les Européens, vers 1750, les Polynésiens fabriquaient leurs armes à partir de matériaux naturels. Ils préféraient compter sur leur habileté et leur rapidité au combat plutôt que de porter une armure. Toutefois, certains hommes portaient d'épaisses chemises en fibres de noix de coco tissées pour se protéger.

72 Les dents de requin étaient transformées en épées. En Polynésie occidentale, des dents de requins étaient fixées sur les côtés de longs gourdins pour en faire une arme qui servait à couper et à broyer : c'était une arme terrible en combat au corps à corps.

▼ Un canoë de guerre polynésien transportant ses passagers pour un raid sur une autre île. Les guerriers gardaient leurs armes à proximité dans le canoë.

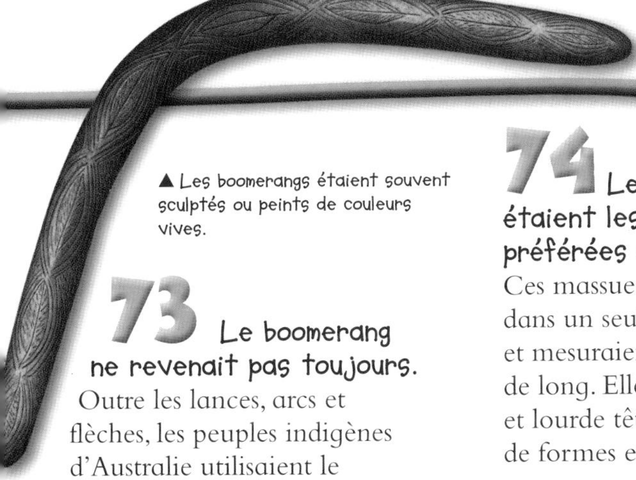

▲ Les boomerangs étaient souvent sculptés ou peints de couleurs vives.

73 Le boomerang ne revenait pas toujours.

Outre les lances, arcs et flèches, les peuples indigènes d'Australie utilisaient le boomerang. Ce lourd bâton était conçu de façon à tourner sur lui-même dans l'air et pouvait être lancé avec précision. Seuls les boomerangs légers, servant à chasser les oiseaux, revenaient à leur envoyeur.

74 Les massues étaient les armes préférées des Polynésiens.

Ces massues étaient sculptées dans un seul morceau de bois et mesuraient plus d'un mètre de long. Elles avaient une large et lourde tête souvent sculptée de formes et de motifs élaborés.

▶ Mere maori ou massue courte. Ces armes étaient faites de bois très durs.

75 Les Maoris fabriquaient des armes en bois.

Le peuple maori vivait en Nouvelle-Zélande. Ils faisaient des massues uniques, dont le mere qui avait un manche court et une lame large et courbe qui permettait d'entailler l'ennemi.

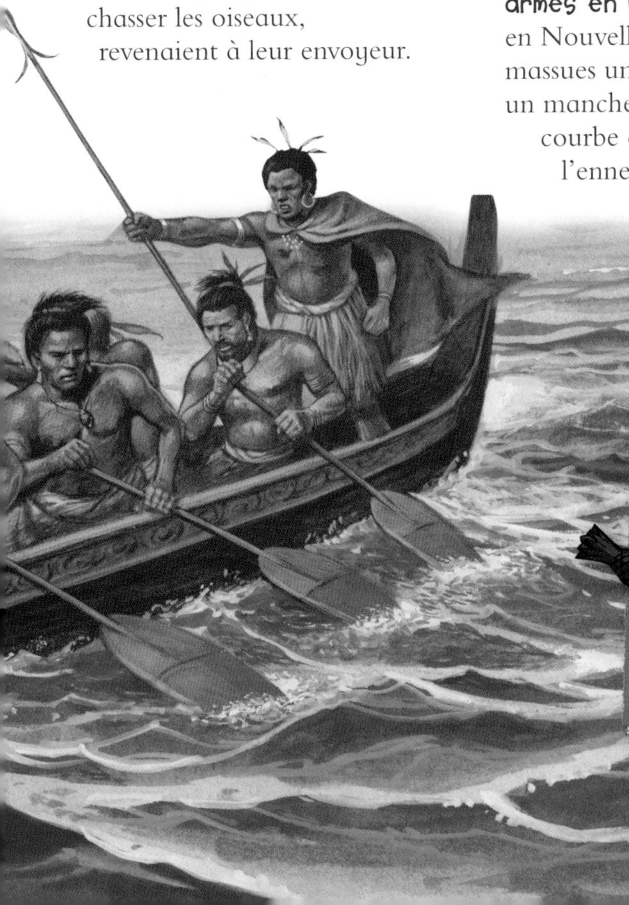

INCROYABLE !

Les guerriers des îles Fidji utilisaient souvent une massue de bois en forme d'ananas pour attaquer l'ennemi.

Les armes d'Afrique

76 L'iklwa était une arme meurtrière.

De 1816 à 1828, le peuple zoulou en Afrique du Sud fut gouverné par le roi Chaka qui construisit un empire sur des milliers de kilomètres carrés. Chaka introduisit une nouvelle arme, l'iklwa, une courte lance à large lame utilisée pour poignarder. Elle était plus meurtrière que les lances traditionnelles utilisées par les autres peuples de la région.

77 Les sagaies étaient des lances.

Elles avaient une pointe plus petite et plus légère que celle de l'iklwa. Les guerriers zoulous commençaient le combat en lançant deux ou trois sagaies puis ils couraient vers l'ennemi, l'iklwa à la main.

78 Les casques servaient d'ornements mais pas de protection.

Les guerriers zoulous arboraient des coiffes pour paraître plus grands et impressionnants. Ces couvre-chefs étaient faits d'un assemblage de longues plumes d'autruches, de plumes de grues et de bandes de fourrures colorées ou de mèches de laine.

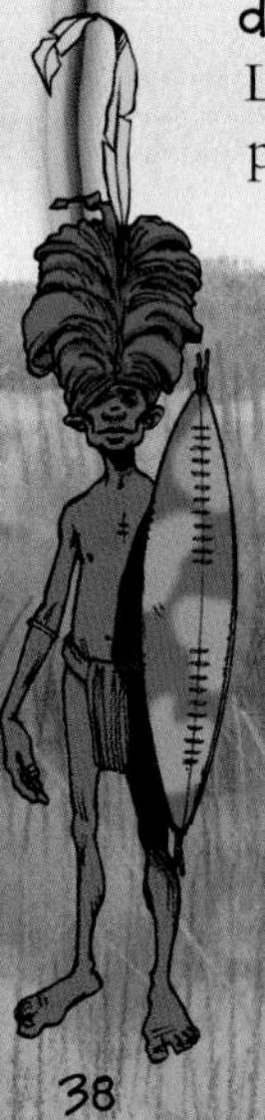

79 Les massues ou knobkerries pouvaient écraser les crânes. En plus de l'iklwa, de nombreux guerriers zoulous portaient une lourde massue en bois appelée knobkerrie. Si le guerrier perdait son iklwa, il utilisait alors cette massue en combat au corps à corps.

80 Les boucliers étaient faits de cuir de vache. Les boucliers zoulous mesuraient près de deux mètres de long. Ils étaient découpés dans du cuir de vache lacé sur une planche en bois avec des lanières de cuir.

FABRIQUE UNE ARMÉE ZOULOUE

Il te faut :

carton – bâtonnets d'esquimaux – crayons – colle

1. Dessine des guerriers zoulous sur du carton.
2. Découpe chaque guerrier et colorie-les.
3. Colle un bâtonnet d'esquimau derrière chaque guerrier.
4. Quand tu as fait suffisamment de Zoulous, colle les bâtonnets de glace à un morceau de bois droit pour que les guerriers forment un rang.

◀ Une armée (ou impi) zouloue en marche. Des garçons suivaient les guerriers et portaient leur matériel de couchage, leur nourriture et leurs armes supplémentaires.

Les Amériques

81 En Amérique du Sud, les guerriers ouvraient la bataille en jetant leur lance. Entre 1400 et 1510, le peuple aztèque construisit un vaste empire dans l'actuel Mexique. Les guerriers remportèrent une série de batailles contre les autres peuples américains. Au début de chaque combat, les camps ennemis s'attaquaient mutuellement par une pluie de lances. Ensuite, ils chargeaient et engageaient un corps à corps.

◀ Pour la bataille, certains guerriers aztèques se déguisaient en aigle, jaguar ou autre animal sauvage.

82 L'obsidienne était tranchante comme un rasoir. Les Aztèques, les Mayas et les autres peuples d'Amérique latine ne connaissaient ni le fer ni le bronze. Ils fabriquaient donc leurs armes à partir de matériaux naturels. Les armes les plus efficaces étaient recouvertes d'éclats d'obsidienne, une pierre dure semblable au verre qui avait des bords acérés une fois brisée.

83 Des massues servaient à assommer les ennemis.

Les Mayas et les Aztèques partaient en guerre pour capturer des prisonniers. Ceux-ci étaient sacrifiés dans des temples consacrés aux dieux tels que Huitzilopochtli, le dieu de la guerre. Le plus souvent, on leur arrachait le cœur encore palpitant.

84 Les boucliers étaient richement décorés.

Les boucliers aztèques et mayas étaient faits de bois et recouverts de peaux et de plumes d'animaux très colorées. Des plumes ou des rubans de fourrures pendaient sous le bouclier pour dévier les javelots.

◄ Les Mayas tentaient de capturer des nobles et des souverains pour les sacrifier à leurs dieux.

85 Le tomahawk était une arme célèbre des tribus d'Amérique du Nord.

C'était une hache à manche court et à tête lourde. Les premiers tomahawks étaient fabriqués avec des têtes en pierre mais une fois que les Européens se furent installés en Amérique du Nord, les tribus commencèrent à acheter des tomahawks à tête en fer.

► Les peuples indigènes des régions orientales d'Amérique du Nord utilisaient des lances ainsi que des haches spéciales appelées tomahawks.

Le code du bushido

86 Les armures des samouraïs étaient élaborées. De 800 à 1860, les guerriers samouraïs dirigeaient les îles du Japon. Ils portaient des armures faites de centaines de plaques de métal attachées les unes aux autres par de la soie. Chaque groupe de samouraïs avait une bannière ou sashimono qui représentait souvent une plante ou un animal.

87 Il fallait des semaines pour fabriquer une épée de samouraï. L'épée des samouraïs était faite de couches successives d'acier auxquelles on donnait une forme régulière pour créer la lame. Chaque épée était faite par un maître artisan dans un processus qui incluaient prières et rites religieux en plus du travail du métal.

88 Le bushido était le code des samouraïs. Vers 1500, les samouraïs devaient suivre un code de conduite appelé bushido qui exigeait loyauté, honneur, courage et maîtrise des armes.

▲ Les samouraïs s'entraînaient avec armes et armures pendant de longues périodes. Ils s'exerçaient parfois sur des postures élaborées.

FABRIQUE DES BANNIÈRES SASHIMONO

Il te faut :

rectangles de papier coloré – ciseaux – ficelle – crayons

1. Plie chaque morceau de papier en deux.
2. De chaque côté des rectangles de papier, dessine un animal ou une plante.
3. Suspends chaque morceau de papier sur une ficelle au niveau de la pliure pour faire une ligne de drapeaux.
4. Accroche les drapeaux dans ta chambre.

▲ Tous les samouraïs étaient entraînés à monter à cheval. Ils savaient utiliser leur arc et leurs épées sur leur cheval lancé au galop.

89 **Le tir à l'arc était un savoir-faire précieux.** Vers 800, les premiers samouraïs qualifiaient leur profession de « voie de la flèche ». En effet, l'habileté au tir à l'arc était capitale pour un guerrier. L'épée devint plus importante ultérieurement mais le tir à l'arc resta un art essentiel jusqu'à la fin de la période samouraï dans les années 1860.

90 **La plupart des samouraïs possédaient deux épées.** Le katana était souvent utilisé au combat alors que le wakizashi servait en cas d'urgence ou de suicide rituel. Certains samouraïs préféraient le long nodachi qui se maniait à deux mains sur le champ de bataille.

▶ Estampe représentant un guerrier samouraï revêtu de vêtements aux motifs colorés qu'aimaient porter ces guerriers.

La fin d'une ère

◄ Fusil à rouet ou arquebuse vers 1650. Le rouet était le premier mécanisme de tir fiable.

91 Les premières armes à feu ne pouvaient pas transpercer les armures épaisses. Les premières poudres à canon n'étaient pas suffisamment puissantes pour projeter une balle de pistolet avec force. Vers 1600, les armuriers fabriquaient des casques et des plastrons résistants aux balles.

92 Les canons pouvaient détruire les armures. De grands canons lançaient des boulets en fer ou en pierre pesant jusqu'à 25 kilos. Ils étaient conçus pour détruire les murs en pierre mais ils étaient aussi utilisés dans les batailles. Aucune armure ne résistait à une telle attaque.

◄ Mousquetaire vers 1660. Chaque cartouche à sa ceinture contenait une balle et de la poudre.

93 La cavalerie continuait à porter des armures. Jusqu'en 1914, les cavaliers engagés dans des combats de déplacements rapides n'avaient pas le temps de recharger leur arme après avoir tiré. C'est pourquoi ils utilisaient souvent des épées et des lances et l'armure était encore utile.

▼ Cavalier français en 1810. Il portait un casque et une cuirasse en fer.

94 Les officiers d'infanterie portaient un hausse-col. Figurant parmi les derniers types d'armures utilisés, ce petit morceau de fer était fixé à l'avant du casque pour protéger le cou. Le hausse-col servait souvent à indiquer le rang d'une personne et fut encore porté longtemps après que casque et armure eussent disparu. Il fut utilisé jusqu'en 1914 dans certains pays.

▶ Mousquetaire en 1770. Il utilisait une tige pour pousser la balle et la poudre dans le barillet du fusil avant de tirer.

95 Vers 1850, la plupart des soldats ne portaient plus d'armure. Les armes à feu devenaient de plus en plus efficaces : elles étaient capables de propulser des balles avec beaucoup de puissance et de précision sur de longues distances. Vers 1850, la plupart des fantassins étaient armés de fusils dont les balles pouvaient traverser n'importe quel type d'armure. Les soldats arrêtèrent par conséquent d'en porter.

INCROYABLE !

Vers 1914, certains cavaliers français portaient encore une armure même si elle était inutile face à l'artillerie et aux mitrailleuses.

Armes et armures modernes

96 La première utilisation moderne des armes chimiques eut lieu pendant la Première Guerre mondiale. En avril 1915, les Allemands utilisèrent des gaz toxiques contre les soldats français. Ces gaz irritaient les muqueuses des poumons et de la gorge. Les soldats commencèrent à se vêtir d'uniformes anti-gaz pour se protéger.

▶ Soldat britannique en 1944. Il porte un casque en fer et un fusil Sten (mitrailleuse légère).

▲ Un cavalier britannique charge. En 1916, hommes et chevaux étaient équipés de masques à gaz pour se protéger des gaz toxiques.

QUIZ

1. Les gaz toxiques ont-ils été utilisés pour la première fois lors de la Seconde Guerre mondiale ?
2. Que signifie VBTT ?
3. Est-ce que les démineurs étaient protégés par une armure spéciale anti-explosion ?

1. Non
2. Véhicule blindé de transport de troupes.
3. Oui.

97 Le casque fait toujours partie de l'équipement des soldats modernes. Les obus et roquettes de type shrapnel explosent et projettent des éclats métalliques tranchants. Les soldats s'abritent dans des trous ou tranchées. Les casques métalliques protègent la tête, partie du corps la plus susceptible d'être touchée par les éclats de ces armes.

▶ Un char de combat principal (CCP) avance dans le désert. L'arrivée des chars et autres véhicules blindés a transformé la guerre moderne.

98 Les chars firent leur apparition sur les champs de bataille. L'armure nécessaire pour arrêter les obus et roquettes serait trop lourde pour une personne. Mais un soldat peut se protéger dans un char ou véhicule blindé de transport de troupes (VBTT). Ces engins sont les éléments clés de l'armée moderne, comme l'étaient les chevaliers du Moyen Âge.

99 La meilleure armure est celle qui rend invisible. Les tenues militaires ont la couleur des plantes, du ciel ou du sable pour dissimuler les soldats. Des casques ont souvent une sangle qui permet d'attacher de la végétation pour renforcer le camouflage.

▼ Soldat américain en Irak. Il est protégé par un gilet pare-balles ainsi que par un casque.

100 Les démineurs portent une armure spéciale. Conçue pour se protéger des ondes des explosions, l'armure couvre la quasi-totalité du corps tout en laissant au soldat les mains libres pour désamorcer la bombe.

Index